Juin- 1994

© Peralt Montagut Editions
Tous droits réservés.

Imprimé en Espagne par Tecnograf. Barcelone.

Printed in Spain

Le Chat

Botté

Illustré par Graham Percy

Il était une fois un meunier qui, juste avant de
mourir, légua son moulin à son fils aîné. A son
deuxième fils, il donna son cheval et au plus
jeune, son chat noir et blanc.

Le jeune homme grommela: "Quel malheur de n'avoir qu'un chat pour tout héritage!... Il ne me reste plus qu'à le manger et à faire un manchon de sa fourrure... Après ça, je n'aurai plus qu'à mourir de faim."

A ces mots, le chat répliqua: – "Ne vous en faites pas, mon bon maître. Donnez-moi un sac et une bonne paire de bottes et vous verrez que vous n'êtes pas si mal loti que ça!"

Le jeune homme savait le chat très malin. Il l'avait vu, par exemple, se suspendre par les talons ou faire semblant d'être mort pour attraper les rats dans la grange.

Aussi donna-t-il au chat ce qu'il demandait, un sac et une paire de bottes. Le chat mit les bottes. Elles étaient magiques. C'était les bottes de sept lieues. Il fila tel l'éclair et revint aussitôt avec un petit lapin. Il le mit dans le sac et dit au jeune homme:
– "Restez ici pendant que je me rends au château".

Au château, il demanda à parler au roi. Une fois en
sa présence, il fit une profonde révérence et dit:
– "Sire, je vous ai apporté ce lapin de garenne. C'est
un présent de la part de mon maître, le marquis de
Carabas." C'est le titre que le chat botté se plut à
donner à son Maître.

– "Dites à votre Maître", répondit le roi, "que je le remercie et que c'est avec plaisir que j'accepte son cadeau."

Une semaine plus tard, le chat botté se cacha dans
un champ de blé et ouvrant son sac tout grand, il
attrapa deux perdrix bien grasses. Il les apporta
également au roi qui les reçut avec grand plaisir. La
reine les fit porter aux cuisines afin qu'on les
prépara pour le repas royal.

Pendant deux ou trois mois, le chat botté continua à porter du gibier au roi. Le roi était si enchanté qu'il enjoignait aux serviteurs de donner au chat de quoi acheter à boire à son maître, le marquis de Carabas.

Un beau jour, le chat botté apprit que le roi devait faire faire à sa ravissante fille une promenade en carrosse le long de la rivière. Il rentra en toute hâte chez son maître grâce à ses bottes magiques et le supplia d'aller se baigner dans la rivière.

Lorsque le roi et la princesse passèrent par là, le chat botté qui se trouvait sur la berge au milieu des roseaux, hurla:
– "Au secours! Au secours! Mon Maître, le marquis de Carabas, se noie!"

Se rappelant tout le bon gibier que lui avait offert le marquis de Carabas, le roi ordonna à ses gardes de se jeter à l'eau afin de sauver celui-ci.

Pendant ce temps, debout près du carrosse, le chat botté racontait au roi que des voleurs avaient volé tous les vêtements de son maître.

On apporta aussitôt de beaux habits et lorsque le jeune homme les eut revêtus, la princesse le trouva très beau.
Le roi l'invita à monter dans le carrosse et ils roulèrent ensemble à travers la campagne.

Les ayant devancés, le chat botté faisait jurer à tous
les paysans qu'il rencontrait de dire au roi que les
champs qu'ils moissonnaient appartenaient au
marquis de Carabas.

Aussi, lorsque le carrosse royal arrivait et que le roi se penchait à la portière pour demander:
– "A qui appartiennent ces beaux champs de blé?"

Les moissonneurs faisant une courbette répondaient:
– "A notre bon maître, le marquis de Carabas."
Et cela impressionnait beaucoup le roi et la princesse.

Entre-temps, le chat botté était parvenu au splendide château du véritable seigneur des terres que traversait le carrosse du roi.

Ce seigneur là était un homme disgracieux et cruel qui, disait on, avait le pouvoir de se transformer par magie en toutes sortes d'animaux sauvages ou en d'horribles créatures.

– "Est-ce vrai, demanda le chat botté, que vous
pouvez vous changer en tout ce que vous voulez, en
lion ou en éléphant par exemple?"
– "Oui" Répondit-il. Et il se métamorphosa en un
lion furieux.

Terrorisé, le chat se réfugia dans un coin derrière une armure. De là, il demanda:
– "Et pourriez-vous aussi vous changer en rat ou en souris?"
– "Evidemment!" Rugit l'homme. Et il traversa immédiatement la pièce sous forme d'une petite souris grise.

Le chat bondit...

et... l'avala.

Puis il se précipita dans les escaliers car il entendait
le roulement du carrosse qui pénétrait dans la cour
du château.

Et lorsque le roi, la princesse et le jeune homme descendirent du carrosse, le chat botté se tenait devant le portail. Faisant une profonde révérence, il déclara d'un ton solennel:

– "Soyez le bienvenu, Sire, au château du marquis de Carabas!"

Ils pénétrèrent dans la grande salle et, une fois de plus, le roi et sa fille furent très impressionnés par tout ce qu'ils virent.

Alors le roi se tourna vers le jeune homme et lui dit:
– "Monsieur le marquis, il faut absolument que vous épousiez ma fille et que vous deveniez mon gendre."
Le marquis accepta cet honneur et épousa la princesse le jour même.
Le chat devint un grand seigneur et n'eut plus jamais besoin de courir après les souris.